Joel Meyerowitz: ¿en color?

Joel Meyerowitz: ¿en color?

Texto de Joel Meyerowitz y Robert Shore

LA FABRICA

Edición
La Fábrica

Fotografías
Joel Meyerowitz

Texto
Joel Meyerowitz y Robert Shore

Traducción
Carlos Martín

Corrección
Isabel García Viejo

Diseño
Matt Curtis

Maquetación
Myriam López Consalvi

Impresión
C & C, Offset Printing Co., Ltd

Fotografía de cubierta
Redwoods, California, 1964

Solapa delantera
Hombre y dirigible, Florida, 1967

Solapa trasera
Museo de la Orangerie, París, 1967

ISBN: 978-84-10024-00-7
Depósito Legal: M-173-2024

Nacido en Nueva York en 1938, Joel Meyerowitz comenzó a hacer fotografías en 1962 recorriendo las aceras de su ciudad natal, junto a amigos como Garry Winogrand y Tony Ray-Jones. Hoy es considerado uno de los fotógrafos de calle más importantes de su generación. Fue un pionero en la defensa de la fotografía en color en un tiempo en que la consideración de esta modalidad como forma de arte encontraba una oposición rotunda. Fotografió los efectos de los atentados del 11 de septiembre contra el World Trade Center, pues fue el único fotógrafo al que se concedió acceso ilimitado a la zona cero. El resultado de ese trabajo se recogió en el libro *Aftermath*. Ha obtenido en dos ocasiones la beca Guggenheim y ha sido galardonado con los premios del National Endowment for the Arts y del National Endowment for the Humanities, así como con la medalla del centenario de la Royal Photographic Society. En 2017, la trayectoria de Meyerowitz fue reconocida con el premio Leica Hall of Fame y con una exposición, donde se le definió como un «mago del color», capaz de «capturar y encuadrar el momento decisivo». En la actualidad vive y trabaja entre Nueva York y Londres.

Robert Shore es autor de diversos libros sobre arte contemporáneo, tales como *Post-Photography* (2014) y *Beg, Steal and Borrow* (2017), y ha sido editor de la revista *Elephant*.

Índice

1962-1966
De entrada, en color

«¿Cómo lo quieres, en color o en blanco y negro?». Ese fue el dilema al que se tuvo que enfrentar Joel Meyerowitz la primera vez que cogió una cámara y se dispuso a cargarla con un carrete. Corría el año 1962 y, aunque en ese momento no fue consciente (y a pesar también de que, sin duda, el empleado de la tienda no pretendía dotar de trascendencia alguna a su pregunta), esa disyuntiva acabaría revelando sus profundas resonancias estéticas e incluso existenciales.

Inconscientemente, en su primer día como aspirante a fotógrafo profesional, Meyerowitz se había sumergido de lleno en la cuestión del color.

¿Qué cuestión del color?, podríamos preguntarnos. «En la actualidad, el color ya no es objeto de debate», explica Meyerowitz, sentado en su estudio del norte de Londres. «A los fotógrafos jóvenes no se les plantea la duda de si usar el color es procedente o no; es algo que simplemente no se discute». El color es a día de hoy la opción por defecto de casi todos los fotógrafos, tanto profesionales como aficionados, y de hecho en el mercado del arte las fotografías en color pasan de mano en mano a cambio de enormes cantidades de dinero: en 2011, una imagen de 1,9 × 3,6 metros del artista alemán Andreas Gursky alcanzó en una subasta los 4,3 millones de dólares, lo que la convirtió en la fotografía más cara vendida hasta ese momento. En cambio, en los primeros años sesenta, cuando Meyerowitz comenzaba a mirar a través de una lente para ganarse la vida, eran muchos los prejuicios en contra del uso del color en la fotografía «seria». El color era para los aficionados y para la industria del entretenimiento; el blanco y negro era la única opción para quien quisiera practicar la fotografía «artística». Unas palabras del gran fotógrafo estadounidense Walker Evans resumen la actitud de los museos y galerías de aquel tiempo: «El color tiende a corromper la fotografía y el color absoluto la corrompe absolutamente… Hay seis sencillas palabras que debemos susurrar constantemente: la fotografía bajar a siguiente línea color es vulgar».

Y en ese momento entra en escena Joel Meyerowitz, que por entonces tenía poco más de veinte años. «Cuando cogí la cámara en 1962 era un completo ingenuo. Ni sabía nada de cámaras ni me interesaba la fotografía. No era más que un pintor que se ganaba la vida como director de arte en una agencia de publicidad».

Puerta, Chinatown, Manhattan, 1962

Un hombre descargando un camión cerca del
Fulton Fish Market, Manhattan, 1962

Estas dos fotografías provienen del primer rollo
que disparé, en la primavera de 1962. Al verlas
ahora, percibo en ellas mi inocencia juvenil y
también mi capacidad de asombro: una vieja
puerta desconchada y uno de esos «tipos»
de Nueva York.

Entonces llegó el día crucial en que su jefe en la agencia, Harry Gordon, lo mandó al centro de la ciudad a supervisar una sesión de fotos para un folleto que Meyerowitz había diseñado. El fotógrafo al que se había contratado para tomar esas imágenes era Robert Frank, autor de *Los americanos* (1958), uno de los libros de fotografía más influyentes del siglo XX. Meyerowitz no conocía la obra de Frank en ese momento, pero quedó fascinado cuando vio cómo trabajaba el fotógrafo con sus modelos. «Pronunciando apenas una palabra, les daba libertad para comportarse con naturalidad; después, en silencio y sin aparente esfuerzo, se agachaba, se deslizaba y se colaba entre ellos, se inmiscuía en todo lo que hacían, que se desarrollaba en tiempo real y en la vida real, y luego salía de escena». Frank parecía capaz de adivinar lo que iba a ocurrir a continuación y de atisbar significados en cada pequeña acción. Cuando Meyerowitz volvió a la oficina, acabada su tarea, era una persona distinta. Todo le parecía diferente.

«Hasta el gesto más insignificante parecía estar cargado de posibilidades», escribió acerca del efecto transformador que tuvo sobre él aquel primer encuentro con Frank en *Where I Find Myself*, la magistral retrospectiva vital del trabajo de Meyerowitz publicada en 2018. Descubrir que uno podía moverse y disparar fotos al mismo tiempo le resultó tremendamente emocionante. «Porque era eso lo que latía en lo que acababa de presenciar: el movimiento, la fisicidad, el cálculo de tiempo, la posición. Yo jugaba al béisbol de tercera base, o sea que estaba familiarizado con ese tipo de movimientos: era pura energía al servicio del momento, un momento que era irrepetible y fugaz; ¡y para mí esta nueva noción se llamaba fotografía!».

Su conversión a este medio fue tan absoluta que dejó su trabajo de inmediato. «Ver trabajar a Frank me abrió un mundo de posibilidades», recuerda hoy. «Cuando volví a la oficina y le

Payaso del circo de la calle 42, Times Square, Manhattan, 1962

Páginas 10-11: Interior con espejos. El viejo circo de la calle 42, Times Square, Manhattan, 1962

Predicadora ambulante, noche, Times Square, Manhattan, 1962

dije al director de arte que quería dedicarme a la fotografía y que me marchaba, quiso prestarme su cámara. Salí de allí y compré dos rollos en color. No sabía absolutamente nada. Simplemente pensé: "Voy a por unos carretes". Fui a una tienda de fotografía y dije: "¿Me puedes recomendar alguno que sea bueno?"». Y fue entonces cuando le espetaron la gran pregunta: «¿En blanco y negro o en color?». Meyerowitz no titubeó. «Contesté: "En color". Y el tipo de la tienda replicó: "Marchando dos carretes de Kodachrome". Me los llevé y leí las instrucciones que traían, que decían algo así como "si hay nubes que tapan el sol, aplique tal exposición" o "si está soleado y sin nubes, aplique tal otra". Una vez en la calle, hice estos ajustes en la cámara porque no tenía ni idea, era un absoluto principiante. Y resultó que cuando recogí el rollo revelado al día siguiente, casi todas las exposiciones estaban bien o, por lo menos, eran correctas. Así que pensé: "Vaya, se ve que esto funciona, voy a tener que aprenderme de memoria estos parámetros"».

Un encuentro ante una caja de luz acabaría siendo decisivo en la siguiente fase de su evolución artística. «Fui al laboratorio a recoger el carrete y, mientras miraba las diapositivas en una caja de luz, otro fotógrafo, joven y con barba, entró y se puso a hacer lo propio a mi lado en otra caja similar». Se trataba de Tony Ray-Jones, el fotógrafo inglés que, al igual que Meyerowitz, rondaba la veintena y se había formado como diseñador gráfico. «Los dos acabamos mirando las fotografías del otro y tratando de comentarlas, aunque por entonces no sabíamos emplear los términos apropiados. Había, sin embargo, algo en nuestras fotografías que nos parecía interesante, y ambos éramos directores de arte, de modo que estábamos claramente condicionados por el tema gráfico.

»Quedamos en volver a vernos el fin de semana para salir juntos a hacer fotos. Y así nació nuestro pequeño laboratorio de solo dos miembros:

Maniquíes, Times Square, Manhattan, 1962

Arriba y derecha: Mujeres en la calle, Manhattan, 1963

Mujer en una cafetería, Manhattan, 1963

Desde el principio me sorprendí a mí
mismo fotografiando a mujeres, muchas
de ellas fuertes, independientes, feroces
incluso. Si la memoria no me falla, lo que me
impulsaba era mi atracción por ellas y mi
interés por saber lo que la mujer significaba
para mí.

aprendiendo a trabajar en la calle, a acercarnos a la gente, a vencer la timidez tratando de ser osados, a calcular bien los tiempos para que cuando algo ocurriese nos pillara preparados. Así, disparando diapositivas en color para luego comentarlas con nuestro limitado léxico, fuimos capaces de establecer nuestro particular diálogo en torno a cómo comportarnos en la calle, cómo reunir el valor necesario para acercarnos a algo sin dejar de ser invisibles e incluso cómo analizar nuestras fotografías».

Meyerowitz no solo tomó prestada una cámara de su antigua oficina; también se llevó un proyector al que sacó mucho partido. «Tony y yo nos sentábamos uno a cada lado del aparato, como a un metro de la pared. El proyector desplegaba una imagen en el muro de enfrente, a cerca de medio metro de nosotros. Nos poníamos a mirar fijamente la fotografía escudriñando cada detalle y entonces empezábamos a hablar: "Tenías que haberte acercado más; deberías haber disparado cuando el tío levantaba la mano, no cuando ya la había bajado; el gesto estaba en su momento álgido y ahí te faltó decisión"». El padre de Meyerowitz había trabajado en espectáculos de variedades e incluso llegó a ganar un concurso de imitadores de Charlie Chaplin. Los paseos por el Bronx en compañía de un profesional del entretenimiento habían infundido en el pequeño Meyerowitz un temprano amor por la calle y le habían enseñado a anticiparse a encuentros casuales y a incidentes de todo tipo. Este bagaje infantil le resultaría muy útil en su carrera de fotógrafo.

«Empezábamos a tomar conciencia de la dimensión física de la práctica de la fotografía, de lo que tiene de coreografía, y también a afinar los tiempos de exposición, lo que significaba memorizar los parámetros correctos. De algún modo, ambos estábamos inmersos en el mismo proceso de aprendizaje global sobre asuntos como

Mujer en la calle, Harlem, 1963

Gente en un desfile, Manhattan, 1963

Mujer en la calle, Nueva Orleans, 1963

Hombre en la calle, Manhattan, 1963

las características de la película fotográfica, pero también en el aspecto más corporal de esta práctica; es decir, en lo que significaba salir al espacio público e intentar estar en el lugar adecuado y en el momento preciso, con la conciencia alerta y aprehendiendo todo lo que hace que una imagen acabe cobrando el aspecto de una fotografía, pues son dos cosas muy distintas».

Aquellos dos intrépidos jóvenes ni se plantearon entrar a debatir la «cuestión del color» en aquel momento. Meyerowitz, según él mismo acaba de contar, no sabía casi nada de fotografía, ya que hasta poco antes había querido consagrarse a la pintura abstracta y no era consciente de la inclinación del mundo del arte hacia las imágenes fotográficas en blanco y negro. «Ninguno de los dos tenía la más mínima impresión de que optar por el color fuera una decisión equivocada. Fue algo más tarde, al querer presentar nuestras imágenes en público, cuando empezamos a darnos cuenta de que todo el que se tomaba la fotografía en serio empleaba el blanco y negro. Era un poco absurdo para nosotros porque a mí me gustaba esa inmediatez de llevar un carrete al laboratorio y recogerlo a la mañana siguiente para ver las fotos. Me sentía incapaz de esperar más tiempo. Por otro lado, si trabajabas en blanco y negro, tenías que juntar cinco o seis carretes para revelarlos todos de una vez, preparar hojas de contacto y luego hacer ampliaciones.

»En cuanto a las diapositivas en color, bastaba con proyectarlas sobre la pared para ampliarlas, mientras que una imagen en blanco y negro tenías que verla en una hoja de contactos, con un tamaño de unos 4 centímetros. Además, había que mirarla a través de una lupa y nunca resultaba tan viva como una imagen proyectada, mucho más fácil de analizar».

Meyerowitz no tenía en mente ningún propósito concreto, como podría ser publicar su trabajo en periódicos y libros o acabar viéndolo

Músicos de una banda, desfile, Manhattan, 1963

Espectadores, desfile, Manhattan, 1963

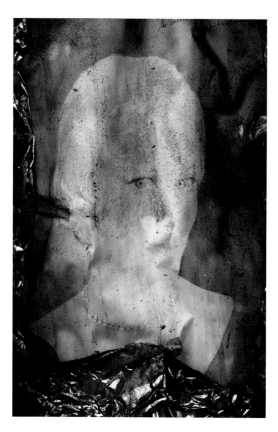

Anuncio publicitario desvaído sobre papel de plata arrugado, Manhattan, 1963

colgado en las paredes de una galería. Fuera como fuese, lo cierto es que en ese momento en Nueva York no había más que una galería dedicada a la fotografía: The Underground Gallery, situada en el sótano de una vieja lavandería china de la calle 10 Este. «No pensaba exponer mis imágenes, no tenía una idea concreta de hacia dónde quería llevar todo aquello. Lo único que sabía es que necesitaba salir a la calle y captar ese momento justo en que se produce la interacción humana porque cuando había visto trabajar a Robert Frank me había dado cuenta de que, cada vez que la acción que se desarrollaba ante él alcanzaba un punto álgido, un instante determinante, un gesto, una emoción, un destello de vitalidad, él ya estaba preparado, pues se escuchaba de inmediato el clic de su cámara. ¡Qué precisión! Frank casi podía adivinar lo que iba a pasar antes de que sucediera y era *eso* (esa anticipación) lo que me resultaba apasionante.

»Quería trasladar eso a la calle porque era allí donde yo veía esas situaciones humanas, tiernas, graciosas o cargadas de vitalidad. En la calle las cosas parecían, por uno u otro motivo, destilar energía. Ni se me pasaba por la cabeza que la fotografía fuera una forma de arte que pudiera materializarse en un libro o en una exposición; al principio solo pensaba en cada foto como una imagen independiente.

»Sea como fuere, el color facilitaba esa inmediatez: permitía observar la imagen resultante en poco tiempo. Yo no tenía la menor idea de lo que era un cuarto oscuro, pero, a medida que dedicaba más tiempo a la fotografía, fui entendiendo que el blanco y negro exigía contar con un laboratorio, revelar, hacer hojas de contacto y después positivar las copias, pero no podía permitirme todo eso porque acababa de dejar mi trabajo. En los primeros años sesenta ganaba unos 50 céntimos a la hora (y eso que era un puesto cualificado, pues yo

«Por 5 pavos podía ver mis fotografías. Y encima en grande. Por eso tenía tanto sentido hacer fotos en color».

Autorretrato en una exposición de la escuela de arte, Brooklyn, 1963

Ahora me doy cuenta de lo influido que estaba, al menos en mis primeros años, por el potencial fotográfico del surrealismo, algo que provenía de mis estudios de Historia del Arte.

Camino a México, 1962

En el verano de 1962, solo unos meses después
de empezar a hacer fotos, Vivian, mi mujer de
entonces, y yo viajamos haciendo autostop desde
Nueva York hasta Ciudad de México. Llevé conmigo
una cámara y diez carretes de Kodachrome (¡para
todo el verano!). Más adelante sería capaz de
gastar esos diez carretes en un solo día.

Parque, París, 1967

era diseñador gráfico), así que no me sobraba precisamente dinero para hacer mis copias. En cambio, un carrete de película de color costaba 2 dólares y otros 2,5 el revelado, así que por 5 pavos podía ver mis fotografías. Y encima en grande. Por eso tenía tanto sentido hacer fotos en color».

A veces, Meyerowitz y Ray-Jones abrían sus sesiones de visionado a otras personas. «Íbamos al *loft* de Tony, nos llevábamos a unos cuantos amigos y proyectábamos las imágenes en gran tamaño en la pared. Ocho o diez personas se sentaban a mirarlas y pronto me di cuenta de que nunca nadie se levantaba para acercarse a la pared y decir: "¿Qué ha pasado ahí? ¿Cómo es que esa mujer parece un cisne?" (imagen a la izquierda). Yo hice esa asociación al instante, pero ellos contemplaban la foto en su conjunto como si estuvieran ante una especie de espectáculo de entretenimiento o como si se tratase de un reportaje de vacaciones. Así que pensé: "¿Cómo puedo hacer para que la gente se fije más en los detalles?"».

En torno a esa época, Meyerowitz trabó amistad con otro colega fotógrafo, también de Nueva York: Garry Winogrand. Era diez años mayor que él y, aunque aún no gozaba del reconocimiento que alcanzaría más adelante, ya atesoraba un importante corpus de obra, tal y como descubrió Meyerowitz cuando aquel le invitó a su apartamento. «En cada rincón, por todas las habitaciones, en la sala de estar, en el comedor, en los pasillos, había pilas y pilas de cajas amarillas de Kodak, y en cada una de ellas cabían 250 copias. ¡Aquel tipo tenía millares de fotografías! Él se dio cuenta de mi asombro, me acercó un montón con unas 200 fotos y me dijo: "Toma, échales un vistazo". Recuerdo que me senté en una butaca de orejas y me puse a hojear aquellas fotos, todas de 11 × 14 pulgadas; pasaba de largo por tres o cuatro de ellas hasta ver algo interesante, entonces volvía a las anteriores para mirarlas de nuevo y las colocaba unas junto a otras. Me di

cuenta, de forma intuitiva, de que las imágenes podían combinarse para formar enunciados visuales, ¡como si fueran ideas!».

Aquel momento fue para Meyerowitz una caída del caballo. «En ese instante, empecé a entender que cuando tienes las fotografías en papel entre las manos puedes estudiar las relaciones entre ellas. No son simplemente algo proyectado en un muro que te entretiene un rato, sino que puedes examinarlas una y otra vez. Pero en aquel momento no se podían hacer copias en color: eran caras, hacía falta un paso intermedio entre la diapositiva y el papel, es decir, un internegativo, y todo ese proceso se traducía en más gastos de los que yo me podía permitir.

»Así que pensé: "Es probable que tenga que acabar fotografiando en blanco y negro antes o después". Para finales de 1962 llevaba siete u ocho meses haciendo fotos. Pensé: "Si quiero aumentar la apuesta, voy a tener que añadir el blanco y negro a mi vocabulario". Y empecé a hacerlo, aunque sin abandonar la fotografía en color».

Winogrand advirtió a su joven amigo de que tendría que hacerse un cuarto oscuro, así que Meyerowitz desarrolló un complejo sistema que le obligaba a ir trajinando los papeles, los líquidos y el agua entre el dormitorio y el baño de su pequeño apartamento de Nueva York. «Era lento y laborioso, pero me permitía tener entre manos muchas fotografías para poder estudiarlas», explica.

«Sin embargo, seguía sin comprender por qué las fotografías en color tenían tan poca aceptación. Si hablaba con John Szarkowski, del MoMA, o con otros conservadores del museo, parecía como si el color fuera algo que solo se podía utilizar con fines comerciales o estuviera reservado para los aficionados en el día de Acción de Gracias, Navidad, Semana Santa o cualquier otra celebración.

»Pensé: "¿Cómo puedo hacer que la gente entienda que el color por sí solo tiene mucho que decir?"».

Páginas 32-33: Desfile del Memorial Day, Manhattan

Página 35 arriba: Cafetería en Times Square, Manhattan, 1963

Página 35 abajo: Playland, Times Square, Manhattan, 1963

A Tony y a mí nos gustaba mucho hacer fotos en Times Square. Había tanta luz que podíamos trabajar hasta bien entrada la noche.

Taquilla de un cine en Times Square, Manhattan, 1963

«Pensé: "¿Cómo puedo hacer que la gente entienda que el color por sí solo tiene mucho que decir?"».

Taquilla de un cine en Times Square, Manhattan, 1963

1963-1966
Las primeras parejas

Meyerowitz admite que, en la actualidad, comparar fotografías en blanco y negro y en color es tarea fácil. «Hoy basta con apretar un botón», dice. «En Photoshop, hay una función con la que puedes pasar una imagen en color a blanco y negro». Pero cuando él estaba empezando, esa tecnología no existía y, además, a nadie le interesaba experimentar con ello.

La única manera de plantear esas comparaciones (básicamente, entre una misma imagen en blanco y negro y en color) era tomar dos

Tranvía en Nueva Orleans, 1963

Para mí, como para gran parte de mi generación, la influencia de Robert Frank fue muy profunda. A muchos de nosotros nos impulsó a emprender nuestra personal «expedición» de descubrimiento de Estados Unidos. Pero cuando llegué a Nueva Orleans me quedé pasmado: conocía esa foto estupenda de Frank con un tranvía segregado, en blanco y negro, y había dado por hecho que aquellos vehículos tenían tonos grises, negros y plateados. Me sorprendió mucho ver que en realidad eran de un precioso tono lavanda con gris pizarra y blanco (aunque, por supuesto, seguían estando segregados).

fotos diferentes. Para eso había que hacer verdaderos malabarismos con el equipo; y Meyerowitz, con su linaje farandulero y su destreza física, era la persona más apropiada para ejecutar ese número. «En 1963 conseguí hacerme con una segunda cámara y pensé: "Voy a ponerle un carrete en color a una y otro en blanco y negro a la otra; así, cuando se presente la ocasión de fotografiar algo con las dos cámaras (solo si la escena no cambia demasiado y si soy lo suficientemente rápido como para disparar dos fotos), podré observar ambas y tratar de ver qué conclusiones saco"».

Y así es como empezó el proyecto que se recoge en este libro. «Hice todas estas parejas, pero digamos que preferí guardármelas, ya que no podía hacer copias en color y solo contaba con diapositivas para proyectar en la pared. Sí tenía, en cambio, las copias en blanco y negro, que podía observar para ir haciendo comparaciones y decidir cuál era la buena. ¿Cómo afecta el color a una foto en blanco y negro? ¿Es la foto en blanco y negro mejor porque tiene más potencia visual?». Para ese momento, Ray-Jones había regresado a Londres, de modo que este proceso fue estrictamente individual. «Ese era el diálogo que mantenía conmigo mismo. Pasarían algunos años hasta que pudiera hacer copias en color y establecer comparaciones que pudiera mostrar a los demás».

Este monólogo interior resultó revelador. «A veces, la foto en blanco y negro era mejor porque su contenido era visualmente tan potente que podía prescindir del color», dice. «Pero las imágenes en color me resultaban casi siempre mucho más expresivas. Me devolvían más la impresión de una atmósfera, de un determinado momento del día, de una estación del año; o, a veces, era el color mismo, los diversos tonos de las carnaciones o el color de una prenda de ropa

«¿Cómo afecta el color a una foto en blanco y negro? ¿Es la foto en blanco y negro mejor porque tiene más potencia visual? Ese era el diálogo que mantenía conmigo mismo».

Chicago, 1964

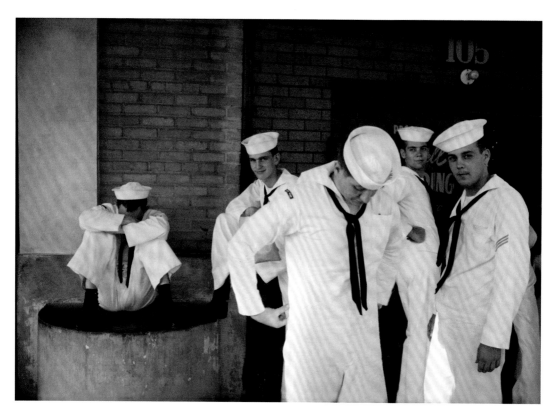

Nueva Orleans, 1963

Nueva Orleans, 1963

«Pensé: "Si la fotografía es ante todo descripción, entonces una foto en blanco y negro no describe todo lo que hay ahí porque se le ha sustraído el color"».

El Bronx, 1966

Páginas 48–51: Appalachia, 1964

los que irradiaban algo. Sentía que había en ellas más sutileza y más drama, poesía o ternura. El color parecía conectar mejor con una especie de emoción. Añadía ese sustrato de información que está ausente en el blanco y negro».

Meyerowitz sigue siendo un gran admirador de John Szarkowski, que era entonces director de fotografía del MoMA. «Teníamos mucha suerte de tenerlo», dice. «No ha vuelto a haber un conservador comparable a él en su manera de valorar las fotografías y la práctica fotográfica en general, y en el modo en que hablaba de este medio». Recuerda cómo le impactó una de las categóricas declaraciones de Szarkowski de esa época: «Si aprietas el botón, la cámara describe lo que tiene delante». «En eso consiste la fotografía», concluye Meyerowitz ahora. «Describe un hecho que tiene lugar en un instante. Pero de aquella frase yo me quedé con esa idea de que la fotografía *describe* lo que está delante de la cámara, y eso que tiene ante sí es lo que el fotógrafo ha escogido porque lo considera importante. Así que pensé: "Si la fotografía es ante todo descripción, entonces una foto en blanco y negro no describe todo lo que hay allí porque se le ha sustraído el color. Es como mostrar el esqueleto gráfico de la imagen pero no la carne".

»Me refiero a la carne real, a los colores de los tejidos, a la densidad de la atmósfera, a la impresión de cierta estación del año o incluso al estado de ánimo que suscita un determinado lugar; en cada uno de estos fenómenos, la luz adopta diferentes longitudes de ondas y todos somos susceptibles a ellas. Nos afectan a un nivel emocional que casi nadie es capaz de describir; y, sin embargo, percibimos que la atmósfera, las estaciones, tienen diferentes matices de luz, al igual que a través del olfato nos estimulan las fragancias que nos asaltan al caminar».

MoMA, Manhattan, 1966

A modo de ilustración, Meyerowitz cuenta algo que experimentó caminando por una calle de París. «Allí estaba la famosa panadería Poilâne. Cuando dejaba atrás su diminuta puerta y seguía caminando con el aire viciado de la calle metido en la nariz, pasaba por una zona con un efímero aroma de azúcar y mantequilla que hacía que uno quisiera entrar de inmediato. Un par de pasos más y habría salido de esa atmósfera cargada de azúcar y mantequilla, pero en el mismo instante en que pasaba por delante yo ya anhelaba sentirla, la *imaginaba*, *fantaseaba* con ella, ¡la deseaba! Y un paso más adelante, se esfumaba. Recuerdo que pensé: "¡Eso es la fotografía! Entras en esa zona durante una fracción de segundo, reconoces el momento fotográfico en el lugar donde estás. Y... ¡bang! ¡Una foto! Tan instantáneo y tan sutil como suena. Algo me despierta de golpe y de repente me pongo alerta, soy capaz de ver todo lo que pasa a mi alrededor en la calle. Y trato de capturarlo de inmediato".

»Así que concluí que esa fragilidad de la experiencia, esa cualidad evanescente, es lo que está en el corazón del instante fotográfico. Y la fotografía en color sabe responder a la generosidad de ese momento, mientras que el blanco y negro lo reduce todo a una especie de cifrado; es como una reducción gráfica. De modo que tuve que plantearme lo siguiente: "¿Quiero trabajar con ese método reductivo o aspiro a toda la expresividad del mundo que transito y que percibo y que leo con mi cuerpo entero y con mis cinco sentidos?". Sabía que el color me ofrecía toda esa gama, así que me di cuenta de que tenía que apostar por él. Hice estas fotos comparadas como argumento en favor del color».

Y entonces, de un día para otro, y con una convicción aparentemente sin fisuras, la resistencia del mundo del arte a aceptar el color

Coney Island, 1965

San Francisco, 1964

Butte, Montana, 1964

en la fotografía (resistencia que, en cualquier caso, siempre había sido un poco inexplicable) se diluyó por completo y ya no había lugar a debate. «Dejó de ser necesario», dice Meyerowitz encogiéndose de hombros. En 1976, el MoMA presentó una exposición de William Eggleston que ahora se considera un punto de inflexión en la entrada de la fotografía en color en las principales instituciones artísticas (si bien no es cierto que fuera la primera exposición de fotografía en color del MoMA). Entre las imágenes expuestas se encontraba *Greenwood, Mississippi*, también conocida como *Red Ceiling*, que muestra una bombilla y unos cables que se recortan sobre el fondo de un techo pintado de rojo; ese rojo sobresaturado («el color con el que es más difícil trabajar», según Eggleston), que se obtiene mediante la innovadora experimentación del artista con el sistema de transferencia de tintas, es sin duda el tema de la fotografía. La fotografía en color por fin había llegado y quedaba fuera de discusión.

A partir de esta revolución de terciopelo, Meyerowitz dejó a un lado las pruebas de su rompedor experimento de comparación del color con el blanco y negro, y se guardó las fotografías «para disfrute personal».

«Fue en algún momento en los inicios de la década de 2010, mientras preparaba una exposición en París, cuando me decidí a sacar unas cuantas», recuerda ahora. «El conservador de la MEP [Maison Européenne de la Photographie] las vio y quedó tan impresionado que me preguntó: "¿Cuándo hiciste todo esto?". Yo le contesté: "En la primera mitad de los sesenta, en su mayor parte". Y él exclamó: "¡O sea, que tú eres el eslabón perdido!"».

Como es comprensible, Meyerowitz pidió al conservador, Jean-Luc Monterosso, que le explicara qué quería decir.

Norte del estado de Nueva York, 1965

«El conservador vio las parejas y quedó tan impresionado que me preguntó: "¿Cuándo hiciste todo esto?". Yo le contesté: "En la primera mitad de los sesenta, en su mayor parte". Y él exclamó: "¡O sea, que tú eres el eslabón perdido!"».

«Hasta donde yo sabía, la fotografía contemporánea en color había nacido a mediados de los setenta», dice Meyerowitz parafraseando a Monterosso. «Pero me estás demostrando que ya en los primeros sesenta te tomabas esto como un asunto serio y que ya entonces defendías el color frente al blanco y negro; o sea, que esto va a ser una revisión histórica. Me gustaría exponer estas fotografías y poder explicar que alguien hacía esto mucho antes de lo que yo pensaba».

Esas palabras del conservador despertaron en Meyerowitz recuerdos de aquella urgencia inicial en su apuesta por el color y le hicieron reflexionar sobre lo que ahora percibe como una «oportunidad perdida». En 1966, John Szarkowski había estado recopilando materiales para *New Documents*, una exposición colectiva de fotografía del MoMA que acabaría provocando un impacto revolucionario en el medio y llevaría al estrellato a los tres artistas expuestos, Garry Winogrand, Diane Arbus y Lee Friedlander, que se convirtieron de la noche a la mañana en los heraldos de una nueva generación de fotógrafos. Pero lo cierto es que la muestra estaba concebida en origen para presentar a cuatro fotógrafos, no a tres. «Yo era el cuarto de la exposición», recuerda Meyerowitz. «Tenía unos diez años menos [que los demás]; a pesar de eso, John quería incluirme. Tenía entre sesenta y noventa fotos mías que había seleccionado y yo ya le había estado hablando del color». Pero cuando Szarkowski anunció que planeaba inaugurar la muestra a principios de 1967, Meyerowitz se salió del proyecto. «Le dije: "Bueno, es que me voy a vivir un año a Europa y no tengo dinero para volver, así que no creo que pueda participar en la exposición". En aquel momento, nada parecía importar demasiado: ninguno de nosotros era *famoso* y yo además tenía mis planes. Quizás habría podido exponer algunas fotos en color

California, 1964

Seguí por la autopista durante un rato
a esas dos colas de caballo que se
contoneaban, intentando acercarme para
fotografiarlas. De repente, llegamos a la
carretera de circunvalación de un pueblo,
donde aproveché un semáforo para saltar
de mi furgoneta Volkswagen y dar con
este encuadre.

porque andaba haciendo estas parejas, aunque esto es pura especulación».

¿Quién sabe? Si Meyerowitz hubiera retrasado unos meses su viaje a Europa, acaso hoy se hablaría de *New Documents*, reconocida como un acontecimiento decisivo en la historia de la fotografía documental de posguerra, también como un hito en la historia de la fotografía en color.

1966-1967
Rumbo a Europa

Su estancia en Europa supuso un punto de inflexión en la carrera de Meyerowitz. En 1964, había cargado su vieja furgoneta Volkswagen, provista de una cama y una mesa, para salir de Nueva York en dirección norte a la búsqueda de Estados Unidos, diez años después de que Robert Frank emprendiera sus legendarios viajes por carretera. (Frank no aplaudía precisamente la fotografía en color: «Los colores de la fotografía son el blanco y el negro», llegó a sentenciar.

«Para mí, simbolizan la alternancia de esperanza y desesperación a la que la humanidad siempre estará sometida». Entre otras cosas, el color era, muy probablemente, uno de los instrumentos con que contaba Meyerowitz para trascender la influencia de Frank).

Algo más tarde, en 1966, un encargo publicitario bien pagado le permitió soltar 1700 dólares a cambio de un Volvo y así llegar aún más lejos: al Viejo Mundo. Recogería el coche en Londres y se pasaría un año recorriendo el Reino Unido e Irlanda, España y Francia, Alemania, Europa del Este, Turquía y Grecia.

«Estar en Europa me satisfacía de distintas maneras», explica. «En primer lugar, me veía inmerso en otro lenguaje, ajeno a los signos y símbolos del estilo de vida estadounidense. Como neoyorquino que soy, podía ir a Texas y reconocer ciertos códigos visuales propios de Estados Unidos y que, aunque pueden ser más específicos de los tejanos, como los sombreros y las botas, siguen siendo genuinamente americanos. Los letreros, la manera en que se manifiestan la prosperidad o la miseria... Todo eso lo entendía, lo captaba perfectamente.

»Pero venir a Europa, donde el marco de referencia lo representan los edificios medievales, nada de rascacielos, nada de acero, la gente en los cafés, fumando y leyendo unos periódicos enormes. Así era la vida moderna en un mundo viejo».

No se puede decir que los tropos de este Viejo Mundo no le resultaran en cierto sentido familiares desde su juventud. «Me crie en las calles del Bronx y el ambiente en el que crecí era europeo. Todos mis vecinos eran italianos provenientes de Apulia, Sicilia y Nápoles, irlandeses que habían emigrado al Nuevo Mundo, alemanes, polacos, rusos que habían escapado de la inminente guerra y judíos de

Caravanas de zíngaros, Irlanda, 1966

Interior, Irlanda, 1966

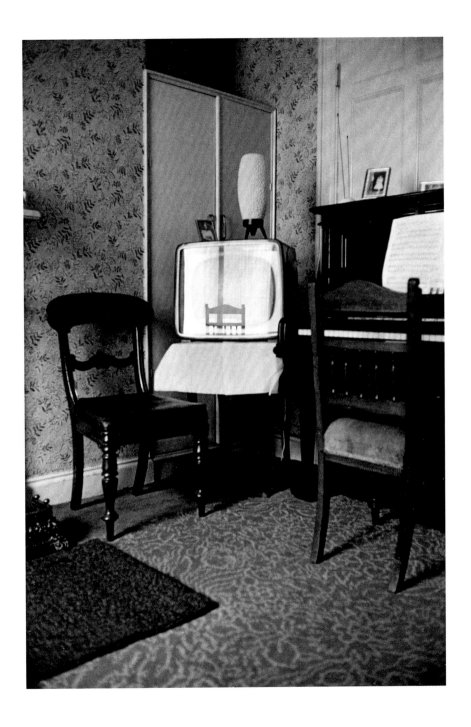

«Me movía por todas partes. Todo el mundo aceptaba que yo anduviese por ahí con mis dos cámaras fotografiando la vida en la calle».

Interior, Gales, 1966

la Europa oriental; todo mi barrio estaba poblado por minorías étnicas. Aquella mezcla de lenguas, aquellos mercadillos al aire libre… Todo me parecía tan europeo que cuando llegué a Europa me sentí como en casa.

»Yo había vivido todo aquello en mi infancia. Por mi edificio pasaban carros tirados por caballos vendiendo frutas, verduras y pescado; había también un afilador y unos ropavejeros que atravesaban las calles del Bronx. Cada uno tenía su forma de reclamo: cantantes de ópera italianos, con sus capas y sus enormes sombreros, se metían por los callejones y cantaban por unas monedas, mientras los vendedores ambulantes judíos tocaban sus tristes melodías. Todos nos asomábamos al alféizar de la ventana para escucharlos. Mi madre cogía un par de céntimos, los envolvía en un trocito de tela y yo los tiraba desde arriba.

»Todo era tan sencillo y a la vez tan emocionante… Y cuando llegué a Europa, allí estaba. Era como si todo me resultara familiar de un modo visceral. Me gustaba la aventura que significaba desconocer algunas cosas y, al mismo tiempo, sentir curiosidad por ellas».

Meyerowitz pasó seis fecundos meses en España, viviendo entre gitanos, durante los cuales su esposa de entonces, Vivian, estudió con un profesor de flamenco. «Mientras Vivian iba a clases de guitarra, yo me pasaba el día deambulando por Málaga. Todo el mundo me conocía por allí: me llamaban "el Ojo" o, también, el "Barbas", porque en la España de aquel tiempo solo los presidiarios y los locos llevaban barba. Eran los tiempos de Franco y allí estaba yo, vagando por la calle un día tras otro. Me movía por los mercados, los bares, los locales nocturnos, paseaba por la orilla del río o junto al mar, por todas partes. Todo el mundo aceptaba que yo anduviese por ahí con mis dos cámaras fotografiando la vida en la calle».

Habitación, Inglaterra, 1966

Una habitación corriente, algo vieja y más
bien sórdida, en un *bed and breakfast* en
Inglaterra. Uno de esos alojamientos en los
que parece que la cama se hunde hasta el
suelo cuando te sientas encima y entonces
empiezas a hacerte una idea de la noche
que te espera. Pero en la foto, la colcha rosa
de chenilla, las cortinas de un rojo anodino
aunque alegre y los pequeños toques de color
del empapelado de las paredes consiguen, por
lo menos un poco, salvar a la habitación de
sí misma. La imagen me permitió plantearme
una vez más las diferencias entre el color y el
blanco y negro.

Así que Europa ofrecía un nuevo escenario visual a Meyerowitz, pero también le brindaba una ocasión para descubrir y forjar su identidad personal. «Para mí, fue una época marcada por una profunda curiosidad, pero que también me dio la oportunidad de ir sabiendo quién era yo, cuál era mi identidad. Cuando estaba en Nueva York quedaba con Garry Winogrand, nos encontrábamos a eso de las nueve, íbamos a desayunar a algún sitio cutre, luego cruzábamos Central Park hasta llegar al zoo, pues él estaba preparando un libro sobre animales, y pasábamos el resto de la jornada subiendo y bajando por la Quinta Avenida. Unos años más tarde empezó a apuntarse Tod Papageorge, así que nos convertimos en una especie de trío, siempre enfrascados en conversaciones con mucha retranca. De repente, en 1966 me fui a Europa, y eso me permitió pasar tiempo solo y así descubrir qué era lo que me interesaba a mí individualmente».

Aquel periplo acabó convirtiéndose en un rito de tránsito. «Tuve la sensación de que maduraba, esa que uno suele tener cuando por fin comprende que tiene que tomar sus propias decisiones», asegura Meyerowitz. «Salía por la puerta por la mañana: "¿Y ahora qué? ¿Voy para la izquierda? ¿Para la derecha?". Si giraba a la derecha, entonces todo lo que ocurriera durante el resto de mi vida sería consecuencia de haber tirado para ese lado. Y si hubiese girado a la izquierda, mi vida habría sido completamente distinta. De alguna manera, entender eso, sacar todo el partido de cada decisión y encararla con el corazón abierto, me ayudó a desarrollar una concepción de mi identidad, de mi individualidad. Tenía que confiar en mis ganas de ver. Porque cuando estás solo debes aprender a entretenerte solo. Tenía que mantener despierta esa curiosidad y alimentarla dentro de mí.

Vivian, habitación, Inglaterra, 1966

Gales, 1966

Gales, 1966

Hombre tatuado, Portobello Road, Londres, 1966

»Si eres un artista metido en el estudio te lanzas al ataque del lienzo, o de lo que sea que estés haciendo, una y otra vez, y tratas de mantener vivo el diálogo con él. Cuando salía a la calle, tenía que permanecer atento a todas las energías que esta pudiera arrojar a mi paso.

»Me ponía a mirar a la gente que bajaba por la calle principal de Málaga y me fijaba en, digamos, un grupo de dos o tres personas; me ponía a caminar a su lado para hacerles fotos subrepticiamente; en un momento determinado, llegaban a una esquina y se despedían. ¿A quién sigo ahora? El instinto me decía: "Vete con esos dos". Y simplemente los seguía como imantado por ellos durante lo que duraba esa atracción magnética. Pero si de repente resultaba que se iban para la derecha y notaba que algo pasaba a la izquierda, entonces me iba para allá. Todos estos cambios repentinos de voluntad forman parte de la experiencia de andar suelto por el mundo acompañado solo por tus instintos y tus deseos insatisfechos.

»La verdad es que es apasionante confiar en eso, *aprender* a confiar en eso. Porque resulta muy fácil cortar ese hilo de energía si llega un momento en que te cansas, te aburres o te entra hambre y te dices: "Lo dejo aquí". Esa voluntad me ha empujado y me ha sostenido durante años y, hasta el día de hoy, es lo que sigo haciendo cada vez que salgo a la calle solo. Dejo que el viento, la luz, el aroma… No sé bien lo que es, pero cuando algo me llama la atención lo sigo y dejo que me transporte hasta lo que sea que esté pasando o a la busca de algún encuentro fortuito con quién sabe qué otras cosas. Trato de combinar esas energías con la espontaneidad de la calle. ¿Cómo puedo interpretar ciertas cosas que no tienen relación alguna entre sí pero que cuando las encuadro sí la tienen?».

Un consejo que le dio, durante su estancia en España, el abogado y aficionado al flamenco Pepe Luque («Tienes que entregarte por completo, con total libertad») le infundió una suerte de arrojo a la hora de seguir sus impulsos. «La experiencia de hacer fotos en Europa me transformó y me dio la perspectiva que necesitaba para mirarme a mí mismo; y para después, a mi regreso, mirar Estados Unidos con otros ojos», recuerda. A su vuelta, Meyerowitz se postuló para una beca Guggenheim y se lanzó a preparar un libro, a la manera de *Los americanos* de Frank, sobre el tiempo libre y los efectos de la guerra de Vietnam. *Still Going* aspiraba a ofrecer un retrato de un país en transición y en decadencia, así como de un pueblo esclavo del ocio consumista. Nunca se ha publicado como monografía, aunque algunas de las imágenes que lo componen sí han visto la luz.

«La experiencia de hacer fotos en Europa me transformó y me dio la perspectiva que necesitaba para mirarme a mí mismo; y para después, a mi regreso, mirar Estados Unidos con otros ojos».

Base aérea estadounidense, Inglaterra, 1966

Edimburgo, 1966

Málaga, 1966

Oficina parroquial, Cártama, 1966

Páginas 86-89: Padre con bebé, Málaga, 1967

Funeral, Málaga, 1966

Circo, Málaga, 1966

Gitanos en la calle, Málaga, 1967

Antonio Escalona, guitarrista flamenco,
Málaga, 1967

Páginas 100–103: Ropa tendida, Málaga, 1967

Interior, consulta médica, Fez, 1967

Caballo muerto, Málaga, 1966

La enormidad del animal en el suelo, la
presencia de la muerte en mitad de la calle,
llaman de inmediato la atención sobre
la inesperada fragilidad de la vida. Los
curiosos que miran, los que vienen a llevarse
el caballo, el carro, el peso, las cuerdas, la
técnica, el drama e incluso la belleza visual
del momento: todo está ahí y al poco se
desvanece. Solo la fotografía se aferra a ese
instante fugaz.

Parque, Madrid, 1967

Parque, París, 1967

Escaparate, París, 1967

Páginas 112–115: Museo de la Orangerie, París, 1967

Jardines, Chenonceaux, valle del Loira, 1967

Jardín, París, 1967

Las Tullerías, París, 1967

Torre Eiffel, París, 1967

Taller, París, 1967

Modelos, Montmartre, París, 1967

Coche en las Tullerías, París, 1967

Restaurante, París, 1967

Nunca llegaremos a saber qué conversación
estaba manteniendo esta pareja, ni qué
sentimientos les unían en el momento
en que almorzaban en un bistró de París
hace 55 años. Pero para mí esta fue una
manera de comprobar, una vez más,
cómo la fotografía es capaz de expresar
lo desconocido.

Hombre y caballo, Turquía, 1967

Páginas 128–131: Tragafuegos,
Rue d'Odessa, París, 1966

Playa, Turquía, 1967

Troya, Turquía, 1967

Fotógrafo, Bulgaria, 1967

Café, Grecia, 1967

Grecia, 1967

Después de pasarse el día correteando
por la playa, estos jóvenes se dedican a
columpiarse como niños: cada vez más alto,
más rápido y de manera más temeraria. La
alegría que desprendían me hizo pararme
a mirarlos y me puse a jugar con ellos a mi
propia versión del pillapilla.

Grecia, 1967

A bordo del *Michelangelo*, rumbo a Nueva York, 1967

1967-1972
Regreso a Estados Unidos

Meyerowitz quiso en sus inicios dedicarse a la pintura y arrancó en el ámbito del expresionismo abstracto, por más difícil de creer que resulte ahora, dado el extraordinario gusto por el detalle realista y por la interacción humana que revela el corpus de fotografías que ha generado a lo largo de sesenta años. «Pintaba con una enorme escoba, esparciendo pintura de aquí para allá», evoca. Luego fue virando poco a poco hacia una abstracción *hard edge*, pero su trabajo pictórico se resintió

cuando aceptó aquel puesto de director de arte
y se encontró con que tenía que trabajar diez
horas al día. Sin embargo, su interés por las artes
permaneció incólume. «La agencia publicitaria
en la que trabajaba estaba en la esquina de la
calle 53 con la Quinta Avenida, o sea que para
llegar al MoMA bastaba con bajar la calle. Así
que solía ir a pasearme por el museo durante mi
hora de comida. En esa época también estudiaba
Historia del Arte en la universidad».

Pero una revelación de primer orden parecía
estarle esperando cada vez que regresaba a la
calle tras sus visitas al museo. «Por algún motivo,
cada vez que salía fuera, la vida de la calle me
resultaba sumamente atractiva; era algo que
tenía que ver con lo más elevado y lo más bajo,
con el dolor y el placer, con todos nuestros
deseos humanos, y me sorprendí empezando a
interesarme por una especie de realismo social.

»Había pasado toda mi época de estudiante
seducido por la energía de la abstracción y
ahora no veía otra cosa que humanidad. Y aún
no era fotógrafo, sino que seguía trabajando
como director de arte. Miraba esa humanidad
y había algo en su ternura y su tragedia que me
conmovía». El pintor Philip Guston le ofreció una
pista importante para el proceso en que estaba
inmerso. «Recuerdo que unos años más tarde
[en 1970], Guston presentó una gran exposición
en la galería Marlborough. Había abandonado
esas abstracciones veladas suyas, sus grandes
pinturas cargadas de color, y había empezado
a hacer cosas más toscas, más crudas. Pensé:
"¡Cómo ha dado en el blanco!". Muchos críticos
del momento le pusieron de vuelta y media
por haberse salido del tiesto: "bochornoso" y
"simplón" son solo algunos de los juicios que
podían leerse en las reseñas de la muestra. En
cambio, a mí me entusiasmó. Tengo a Guston
en un pedestal desde entonces.

«La vida de la calle me resultaba sumamente atractiva; era algo que tenía que ver con lo más elevado y lo más bajo, con el dolor y el placer, con todos nuestros deseos humanos, y me sorprendí comenzando a interesarme por una especie de realismo social».

Madre con bebé, Florida, 1967

Hombre y dirigible, Florida, 1967

Hombre con pez disecado, Florida, 1967

»Pero a mí me era imposible aplicar los criterios de Guston. Había cierta vulgaridad y a la vez singularidad en lo que estaba pintando, y la fotografía no admite eso: las fotografías están llenas de hormigón, bocas de incendio, desperdicios, prendas de ropa y todo ese tipo de cosas tangibles. No tenía más remedio que aceptarlo y tratar de conectar con las fugaces revelaciones que estaban por llegar. Entonces fue cuando comprendí con absoluta claridad que la cámara tenía que ver ante todo con lo fugaz. Traté de trabajar a 1/1000 en blanco y negro y tan cerca como pudiera de 1/250 en color. Esos son mis ajustes. En esa fracción de segundo podemos poner en práctica, si aprendemos a entrenarlas, las capacidades para mirar, reconocer y entender cualquier cosa que ofrecemos como especie.

»Creo que los humanos hemos sobrevivido precisamente porque gozamos de ciertas dotes de intuición: algo en la nuca nos avisa de que se acerca una flecha que alguien nos ha disparado desde atrás; además, contamos con una visión periférica muy amplia. Así que pensé: "Tengo que utilizar todo mi rango de visión periférica para trabajar en las calles de Nueva York y concebir esta especie de espacio sensorial que transito como un lugar cargado de sustancia con el que solo podré sintonizar si actúo con rapidez. Y el color jugó un papel fundamental en esto porque, una vez que empecé a tomármelo en serio, podía ver detalles y sutiles relaciones: ese tejado broncíneo se volvía verde, la esfera de ese reloj era dorada y los reflejos de las ventanas eran de un azul celeste. Es algo así como los platillos en una orquesta, que pueden emitir apenas un tintineo *pero que yo percibo* y que, si le presto atención, puedo estudiar e incorporar al conjunto. Por lo tanto, lo que permite que esto suceda es mi manera de conectar con algo tan insignificante como una luz que pasa fugazmente de verde a rojo: soy consciente de lo que acontece, lo estoy viendo, estoy viendo ese gesto, todo esto está sucediendo *para mí*. ¿Cuánto soy capaz de asimilar? ¿A qué velocidad puedo visualizarlo todo?

»En cierto sentido, el color me enseñó a estar pendiente del encuadre en todas y cada una de las situaciones, porque si piensas en blanco y negro estás neutralizando todo el poder del color. Cuando hacía fotos en blanco y negro no prestaba atención al color porque de todas maneras no se iba a ver, de modo que solo percibía las energías, pero cuando la cámara estaba cargada con película en color me sentía capaz de leer el mensaje de la calle y registrar todo lo que allí pasaba simultáneamente. Hay algo importante en todo eso. Es como si la sinfonía de la calle penetrase en la mente de quien está fotografiando en color. Yo me limito a mirarla y a reaccionar ante ella.

»No se puede llegar a entender esto sin pasar por todo lo demás, y eso es lo que la calle me enseñó. Y luego ir a Europa y ver "lo otro": esa escala medieval y la manera de andar por la calle que tiene la gente allí. Después volví a Nueva York y entré en ese ritmo sincopado de la ciudad una vez más, sentí esa energía, esa conexión física. Y recuerdo que pensé: "Hacer fotos no tiene que ver solo con saludos, despedidas, besos y todos esos gestos que nos resultan familiares, sino más bien con ese vínculo, fuerte y visceral, que la gente experimenta cuando pasa *a través* de otra persona".

»Si observas la obra de [Henri] Cartier-Bresson, empiezas a darte cuenta de lo teatral que es. Él iba paseando y de repente se decía: "Bueno, me voy a quedar un rato en esta escalera de caracol que baja hasta la calle; si espero un poco, seguro que en este escenario acaba apareciendo *algo*: un niño en bicicleta, alguien

Limpiacristales, Florida, 1968

Cabina telefónica con forma de concha, Florida, 1968

Fuente junto al Hotel Plaza, Manhattan, 1967

Disney World, Orlando, Florida, 1969

«Es como si la sinfonía de la calle penetrase en la mente de quien está fotografiando en color».

llevando una barra de pan en la cabeza o un par de monjas". Así que Cartier-Bresson, usando el clásico vocabulario europeo, montaba sus escenografías y se limitaba a esperar. Se diría que tenía suerte, y ya lo creo que la tenía, pero también sabía dónde tenía que pararse para que esa suerte llegase. Pero la calle en Nueva York es muy diferente, allí no encuentras esa disposición organizada y sosegada. Hay demasiada energía».

Meyerowitz recuerda una llamada de Cartier-Bresson. «Aunque no éramos íntimos, se puede decir que habíamos trabado amistad. El caso es que un día sonó el teléfono. Yo estaba en el cuarto oscuro y Vivian se acercó y me dijo a través de la puerta: "Joel, te llaman, dice que es Cartier-Bresson". Pensé que debía de ser Garry o quizás Tod, porque a veces nos llamábamos y decíamos: "Soy *Cagtié*…"».

Pero esa vez era de verdad Cartier-Bresson. Llamaba desde el MoMA, donde estaba con John Szarkowski mirando unas fotos de Meyerowitz. "Yo no consigo hacer fotos en Nueva York —me dijo—, *¿se puede saber cómo lo haces?*". Imagínate, el maestro planteándome a mí la misma pregunta que yo me hacía respecto a su trabajo», cuenta Meyerowitz. «¡Me quedé de piedra! "Hay muchas cosas a las que mirar —dijo Cartier—, pero aquí no me funciona mi método personal"».

Aquello fue una revelación para Meyerowitz. «Comprendí que la verdadera diferencia era que los neoyorquinos que estamos en sintonía con nuestro medio tenemos asimilado el ritmo urbano, de manera que percibimos capas o dimensiones que nos aportan una perspectiva distinta de la calle.

»Recuerdo que la primera vez que vi el trabajo de algún fotógrafo de fuera que había venido a exponer a Nueva York pensé: "¿Pero de qué va esto? ¿Dónde está la energía? ¿Dónde está la dificultad aquí?". Los neoyorquinos hemos crecido rodeados de expresionismo abstracto, cuando los pintores intentaban cubrir toda la superficie de una tacada y cada cuadro estaba cargado de dinamismo, energía y desafíos.

»Ahora esto suena un poco absurdo porque nos hemos vuelto mucho más tolerantes, pero en aquel momento me pareció que esas fotos no podían ser más facilonas. ¿De verdad uno se encuentra un guante mojado tirado en el capó de un coche y le hace una foto? Eso no es más que copiar algo que ya estaba ahí. En cambio, yo tenía la impresión de que trabajábamos desde la creencia de que hay unas fuerzas invisibles que solo se vuelven visibles si escudriñamos toda la composición e intentamos, simultáneamente, aferrarnos al flujo de energías que recorre la calle. La energía urbana es distinta del vacío y la soledad propios de la vida rural; en la calle de una ciudad como Nueva York, los distintos materiales y motivos se mezclan de manera completamente diferente.

»La energía se renueva constantemente y a cada instante se cuelan en el encuadre nuevos elementos. Algunos tuvimos el privilegio de vivir dentro de ese contexto social tan denso, en el que ocurrían montones de cosas, desde lo más sublime hasta lo más arrastrado de la Quinta Avenida, millonarios saliendo de Tiffany's con sus compras de lujo bajo el brazo junto a vagabundos tirados en la calle. Ahí tenías, al mismo tiempo, la moda más exclusiva y los harapos más miserables. En cambio, si te metes en un centro comercial de Tennessee no verás nada de eso, si acaso alguien que se acicala un poco pintándose los labios ante la ventanilla de un coche, alguna situación curiosa, algo muy distinto del gran caos que reina en cualquier calle de Nueva York.

»En los años sesenta, todos nos preocupábamos mucho por encontrar encuadres interesantes que contuvieran una imagen dinámica y a la vez

Novia, Jardín Botánico de Nueva York, el Bronx, 1967

Pícnic, Central Park, Manhattan, 1967

Páginas 164-167: Damas de honor,
Jardín Botánico de Nueva York, el Bronx, 1967

«Hace falta mucho tiempo y no menos agudeza visual para asimilar la cantidad de información que se acumula en un encuadre».

saturada de información. Hace falta mucho tiempo y no menos agudeza visual para asimilar la cantidad de información que se acumula en un encuadre así. Están los edificios, la luz, los reflejos, la muchedumbre y muchos otros distractores. Y como todo se desarrolla a gran velocidad, tienes que colocarte en el lugar y en el momento adecuados para poder estar preparado cuando pase algo».

Pareja, Granada, 1972

Páginas 170-173: Club náutico,
Fort Lauderdale, Florida, 1967

Árboles de Navidad, Los Ángeles, 1971

Lady Godiva, desfile, Manhattan, 1968

Caseta de tiro al blanco en una feria, México, 1971

Hotel Beverly Hills, Los Ángeles, 1970

Autorrestaurante Scotty's, Fort Lauderdale, Florida, 1967

Autorrestaurante, Texas, 1971

Páginas 186-189: Coche tapado, Redwoods,
California, 1964

1974-
Soltar y seguir adelante

«Me encanta esta foto», dice Meyerowitz con entusiasmo mientras saca de una caja una copia de 1976 con una imagen de las calles de Nueva York [pp. 194-195]. «De esta haría una copia de 2 metros, de pared a pared, porque así es tan poca cosa… Ganaría mucho si la vieras colgada a ese tamaño en la pared.

»Esta es la foto que me llevó a empezar a utilizar la cámara de gran formato, a pasar al negativo de 8 × 10 en color. Aquí no se observa bien, pero puede haber

unas 10 000 bombillas en esa pantalla.
Una diapositiva Kodachrome así de pequeña
—indica, separando el pulgar y el índice un par
de centímetros— te da todo eso. He ampliado
esta foto a un tamaño enorme para alguna
exposición y se ve todo: las farolas, la hornacina
con su escultura dentro, la gente en las cabinas
telefónicas. Quería hacer una foto lo más
complicada y ruidosa posible, de modo que no
la protagonizara nada en concreto. Están pasando
tantas cosas en esta foto que no hay ningún
elemento que aglutine la escena salvo el propio
conjunto. Este fue un momento culminante
para mí».

El triunfo del color dio a Meyerowitz la
libertad para hacer diferentes tipos de fotografías,
para «soltar la presa» y empezar a hacer
«fotografías de campo», como él las denomina,
en las que abandona esa jerarquía que emana a
partir de una determinada anécdota, la «presa».
Esto comportaba abandonar el lenguaje clásico de
Robert Frank y Henri Cartier-Bresson. Los avances
tecnológicos fueron de gran ayuda. De repente,
los fotógrafos que querían hacer sus copias en su
propio cuarto oscuro se encontraron con que era
bastante más fácil y mucho más barato que antes.
(Y, por supuesto, estos cambios ayudaron a la
legitimación de la fotografía en color, dado que
una parte de los prejuicios arraigados contra esta
práctica tenía que ver con el hecho de que solían
ser los técnicos del laboratorio y no los propios
fotógrafos los que se encargaban del proceso
de revelado y de la realización de las copias).
Meyerowitz ansiaba más que nunca contar con
más capacidad descriptiva de la que le ofrecía una
cámara de 35 mm, así que comenzó a usar cámaras
de medio formato con película en color, hasta
que acabó comprándose una Deardorff de 8 × 10
y un gran angular.

Park Avenue, Manhattan, 1974

Calle 46 Oeste, Manhattan, 1976

«De esa manera, podía alcanzar esa capacidad descriptiva que John Szarkowski me había empujado a perseguir, una capacidad que dependía por completo del color. Soy incapaz de imaginarme esta foto en blanco y negro —asegura—. Sería irrelevante. Uno se preguntaría: "¿Pero esto qué es? ¿De qué va esto?". No se distinguiría nada en ella: solo lo oscuro de lo claro, lo gris de lo blanco. Gran parte de la información no sería más que mero fondo, mientras que en una imagen en color el fondo es tan importante como cualquiera de los elementos del primer plano».

Meyerowitz sigue revolviendo sus fotos. «Cuando intentaba desembarazarme de la anécdota callejera, de ese momento que es como un gancho (dos amantes besándose, dos ejecutivos despidiéndose con su falso *colegueo*, un gesto inesperado y todo ese tipo de cosas), empecé a componer escenas con más profundidad de campo y conexiones humanas más complejas que no tenían un tema en concreto, pero sí tanta densidad y tantas capas como para que, al menos a mí, me resultaran interesantes. Nadie más se fijaría ni se interesaría en eso salvo yo. Trataba de buscar imágenes con alguna cualidad inesperada, como esta fotografía [pp. 198-199] de un intrincado tramo de escalera matizado por potentes luces solares y sombras, al que se superpone una alambrada, también con sus sombras y su ruido visual, que dirige el ojo hacia el interior de la estación y hacia el edificio que hay detrás, minando por completo la coherencia de la imagen. ¿De qué demonios iba todo esto? ¿Podía hacer fotos que reflejasen el aspecto real de la calle? [p. 203] Cuestiones de ese tipo eran lo que me preocupaba entonces.

»Lo que intentaba con todas esas fotos era averiguar si la vida corriente podía ofrecer algo interesante a la mirada sin para ello tener que

Greenwich Village, Manhattan, 1974

Quinta Avenida, Manhattan, 1974

dedicarle un único foco de atención central. Quería desplegar la energía que recibía de las calles por toda la composición, de modo que se percibieran el aspecto y la textura del mármol y de la piedra contra la carne, la ropa y la maraña urbana. Quería aferrarme a eso a modo de constructo mental. Por entonces estaba realizando el libro *Bystander* junto a Cody [Colin Westerbeck] y, mirando fotografías de cien años atrás, me di cuenta de que en aquel tiempo había fotógrafos por las calles de Nueva York que se dedicaban a documentar edificios o farolas que se habían instalado. Sus fotos eran poco más que mero registro, pero lo cierto es que en la escena se les colaban coches de caballos, mujeres con polisones o vendedores ambulantes.

»Toda la sustancia de la calle estaba ahí. Y aquellas fotos traían toda aquella información al presente y resucitaban el pasado. Así que pensé: "¿Sería yo capaz de hacer fotos como aquellas hoy, fotos que plasmen la vida de la ciudad sin depender de ningún incidente anecdótico? ¿Podría hacerlo? ¿Y resultaría interesante?". Creo que estaba buscando nuevos desafíos que pudieran arrojar luz sobre el siguiente misterio de la fotografía.

»Si había algo que llamaba la atención en el centro del encuadre, me imponía la obligación de apartar la cámara e intentar fijarme en cualquier otra cosa que estuviera por allí: unas motas de luz, algún ángulo o alguna línea rara, otros rincones y personajes, cualquier cosa que hiciera que el espacio y el color resultaran más estimulantes. Esta estrategia me impuso una nueva forma de pensamiento visual y yo confiaba en que me permitiría crear algo nuevo que yo trataría de entender [pp. 204-205].

»Esta foto [p. 202] contiene una anécdota, pero en ella traté de dejar algo abierto. Algo así como hacer una foto sobre *nada*... No sé si me

Brooklyn, 1975

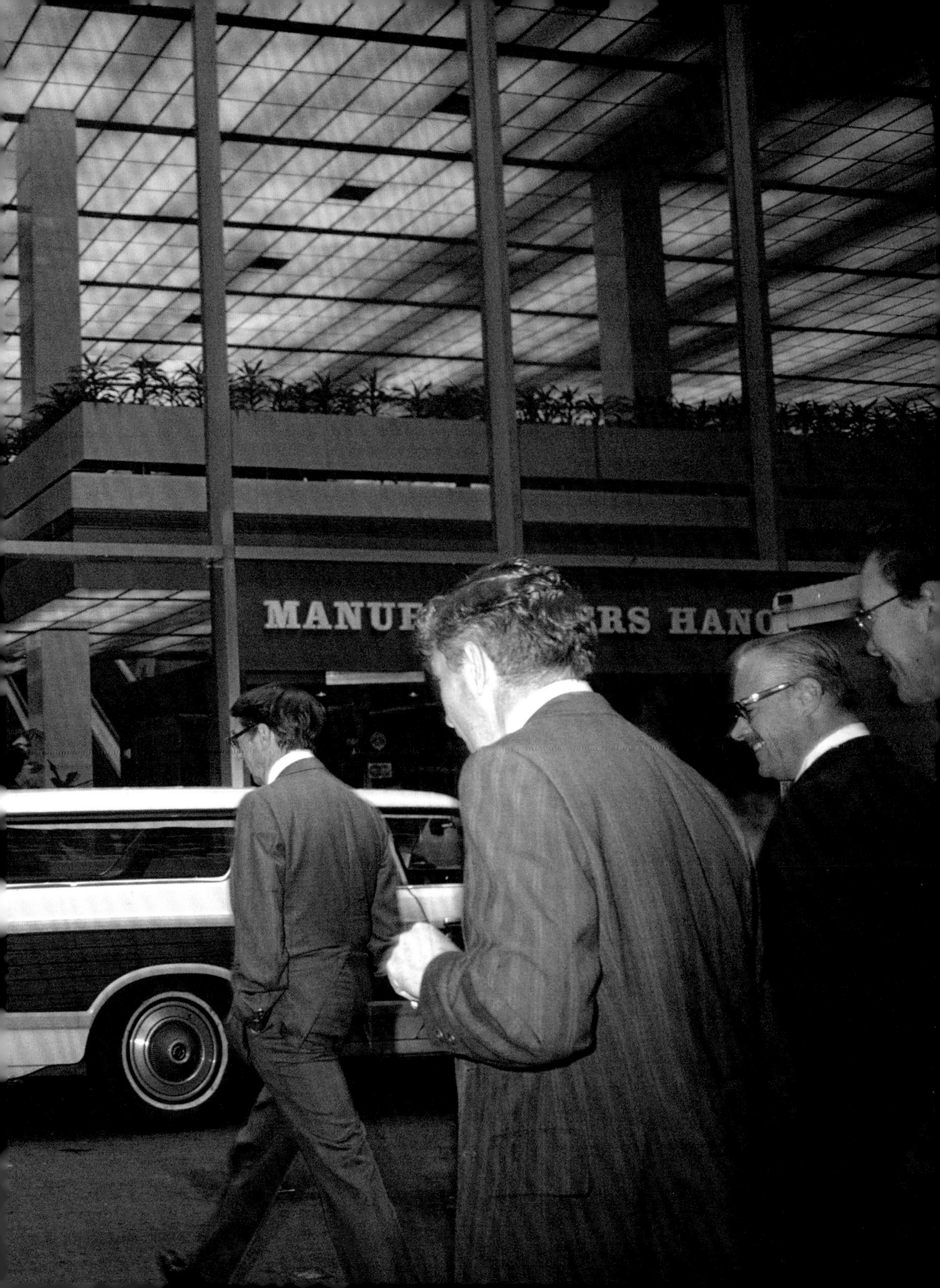
MANUF ERS HANO

Quinta Avenida, Manhattan, 1976

Páginas 200-201: Avenida Madison,
Manhattan, 1975

Calle 42, esquina con avenida
Madison, Manhattan, 1975

explico. Podría enseñarte muchas fotografías en
las que varias personas están enfrascadas en algún
asunto y captarías la idea en seguida: «¡Qué suerte
tuviste con ese disparo!», dirías. En cambio, estas
imágenes muestran esa especie de vacío interior,
además de ciertas tensiones, tensiones cargadas
de energía y un montón de detalles que observar:
abrigos de pieles, sombreros con velo o un tipo de
la calle. Todos estos elementos están esparcidos
por el espacio. Cuando observo esas fotografías
ahora me digo: "¿En qué estaba pensando? ¿Qué
estaba pasando ahí?". Para mí ese es el *swing* de la
calle. Todos los ritmos, esos ritmos tan verticales,
unas manos, ese autobús [p. 197]...

»*Lo vi todo*. Lo asimilé todo: esas señales, ese
edificio, todo fue muy visceral. Yo me limitaba a
asimilarlo todo y di un pequeño paso hacia atrás
para contemplar el espacio en su conjunto, para

intentar hacer que esas energías tan viscerales, tan físicas, formasen una masa a partir de una sustancia real; esa sustancia que es imposible de soslayar cuando haces fotografía de calle porque todo lo que está ahí fuera es real.

»Concebí todas estas fotografías como de gran formato, a lo Gursky, pero veinte años antes de que ni Gursky ni nadie expusiera fotos de esas dimensiones. No había demasiadas galerías y los museos ni se planteaban exhibir copias tan grandes. Qué va, todo se medía en pulgadas: 8 × 10, 11 × 14, 16 × 20… Como primorosos joyeritos. Y pensé: "De eso nada. ¡Esto debe medir dos metros por tres, por lo menos!". Traté de explicar la idea que había tenido. Pero en aquella época era fácil acabar aislado por la incomprensión. Empecé a vender copias en 1978 por 200 dólares. Con eso no se vivía. En absoluto. No existía un verdadero mercado para la fotografía; y como no había tal mercado, tampoco había voluntad para exponer estas cosas en gran formato porque nadie habría podido pagarlas. Así que tuvimos que esperar veinticinco años, hasta que apareció Gursky. Y para entonces ya había llegado un nuevo sistema: "Es digital, podemos hacerla todo lo grande que queramos".

»Así que, de alguna manera, tengo la impresión de que este libro servirá al menos para recordar que hubo una vez un muchacho que dijo: "¡Hey, mirad! ¡He encontrado algo! ¡Y ahí seguirá en el futuro!"».

Avenida Madison, 1975

Truro, Cabo Cod, 1976

A veces, las fotografías de gran formato
necesitan exposiciones muy largas, de
hasta varios minutos en lugar de unas
fracciones de segundo. La luz se va
abriendo paso en la película. Aquí, a esa
hora dulce del atardecer, observando
esta sencilla casita de campo y la luz
encendida de una cabina telefónica, sentí
que me anticipaba al crepúsculo y que, al
mismo tiempo, me aferraba a esa última
y evanescente delicadeza de la luz.

Provincetown, Cabo Cod, 1982

Provincetown, Cabo Cod, 1985

Provincetown, Cabo Cod, 1984

Pittsburgh, 1984

San Luis, 1978

Algunas veces las ciudades ofrecen a sus
visitantes sorpresas inesperadas. Basta con
saber detenerse ante su aparición repentina,
como la de este olvidado muelle de carga que
—para mí, bajo esa luz y en ese instante— tenía
toda la belleza sombría de una tumba egipcia.
Acaso toda la poesía de las fotografías provenga
de referencias personales como esta.

Rodaje de *Annie*, Radio City Music Hall, Manhattan, 1981

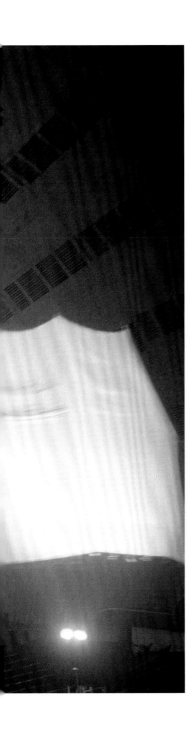

Truro, Cabo Cod, 1977

Krista, Tammy, Terry y Nicole, Minnesota, 1990

Jean, malabarista, Truro, 1981

«¿Sería yo capaz de hacer fotos como aquellas hoy, fotos que plasmen la vida de la ciudad sin depender de ningún incidente anecdótico? ¿Podría hacerlo? ¿Y resultaría interesante?».

Aurora, Manhattan, 1984

Ariel, Manhattan, 1984

El día en que se convirtió en mujer.

Agradecimientos

«Tengo la impresión de que *¿En color?* servirá al menos para recordar que hubo una vez un muchacho que dijo: "¡Hey, mirad! ¡He encontrado algo! ¡Y ahí seguirá en el futuro!"». Este libro, y la exposición de la Tate Modern de la que nace, llevan mucho tiempo gestándose. ¡Sesenta años, para ser exactos! A lo largo de este tiempo ha habido muchas personas que han visto y han comprendido los retos a los que se ha enfrentado la fotografía en color. Y han estado apoyándome y empujándome a seguir presionando en favor de la causa. Algunos ya no están entre nosotros; el primero de ellos es Tony Ray-Jones —mi compañero de campañas fotográficas desde el principio, en 1962—, que respondía a cualquier cuestión sobre la pertinencia del color con un «sí» que ambos considerábamos indiscutible. Algo más tarde llegaron Murray Reich, pintor, y Daniel Amzallag, hombre de negocios, que estuvieron a mi lado en mis primeros tiempos y apoyaron con sus «síes» mis argumentaciones. Mis hijos, Sasha y Ariel, también compartieron muchas veces conmigo su asombro y su deleite cuando les proyectaba mis diapositivas en color en la pared. Aquellos dos pequeños observadores neutrales me confirmaban que hay belleza en los colores de la vida cotidiana.

Más adelante, en 2012, el fundador del festival Photomed, Philippe Serenon, me presentó a Jean-Luc Monterosso, director de la Maison Européenne de la Photographie (MEP) de París. Le enseñé algunas de estas parejas de fotos y nada más verlas me preguntó cuándo las había hecho. Le dije: «Empecé en 1963», y su réplica, inolvidable, fue: «Tú eres el eslabón perdido». Cualquiera se echaría a reír si lo llamaran así. A continuación, dijo: «Siempre había pensado que el color había empezado a mediados de los setenta». Expuso este trabajo en una retrospectiva en la MEP, al tiempo que Amanda Renshaw lo publicaba en los dos volúmenes de *Taking My Time*, mi libro, también retrospectivo, editado por Phaidon. Poco después conocí a Simon Baker, el conservador de fotografía de la Tate Modern, a quien le pareció que este trabajo merecía una importante exposición histórica, pero antes de poder montarla cogió las riendas de la MEP, de modo que fue Emma Lewis quien continuó su labor hasta que Yasufumi Nakamori fue nombrado director de fotografía del museo londinense. Desde entonces, ha sido un incansable y entusiasta promotor de este trabajo.

Por último, están todas las personas que, trabajando entre bastidores, han hecho posible que este libro y todo aquello que contienen sus páginas vean la luz. En mi estudio trabajó en primera instancia Katya Barannik, que rastreó y encontró todas las piezas que faltaban para completar las parejas, con la ayuda de Brian Karlsson, que escaneó muchas de esas fotos perdidas y que, más tarde, junto a Annelie McGavin, directora de mi archivo, consiguió reunir las casi 180 parejas de mi colección. Reservo un enorme agradecimiento también para Bettina Haneke, del Dye Transfer Atelier de Hamburgo, que realizó los excelentes escaneos de todas las obras que se expusieron en la Tate Modern, muchas de las cuales están incluidas en este libro.

En Thames & Hudson he tenido el gran honor de trabajar de nuevo con Marc Valli, director editorial adjunto y amigo, así como con Robert Shore, que ha engarzado mis palabras en este libro. Ginny Liggitt, encargada de la producción del volumen en T&H, supo afinar a la perfección la calidad de cada imagen. Ha sido un gran placer trabajar, una vez más, con Matt Curtis, que ha aplicado un diseño ingenioso y fresco a este libro. Y ninguno de mis libros ve la luz sin haber pasado por la lúcida y cariñosa mirada de mi mujer, Maggie Barrett. Mil gracias a todos.
– Joel Meyerowitz